义务教育课程标准实验教科书

语文

YU WEN

一 年级 上册

一年

姓名

D0963026

义务教育课程标准实验教科书

语 文

一年级 上册

课 程 教 材 研 究 所
小学语文课程教材研究开发中心 编著

＊

人民教育出版社出版

（北京市海淀区中关村南大街 17 号院 1 号楼 邮编：100081）

网 址：http：//www．pep．com．cn

北 京 出 版 社 重 印

北 京 市 新 华 书 店 发 行

北京京师印务有限公司印刷

＊

890×1240 1/32 印张 4.75

2001 年 6 月第 1 版 2009 年 6 月第 5 次印刷

印数 1—53 100

ISBN 978－7－107－14628－2
G·7718 （课） 定价：5．65 元

如发现印装质量问题影响阅读请与北京出版社联系

电话：58572393 62012334

学科编委会主任： 韩绍祥 吕 达

本 册 主 编： 崔峦 蒯福棣

副 主 编： 陈先云 蔡玉琴

编 写 人 员： 蔡玉琴 徐 轶 周光璇 崔 峦
蒯福棣 陈先云 莘乃珍

插 图 作 者： 杨荟铼 郜 欣
沈 礼 王庆洪
王 巍等

责 任 编 辑： 徐 轶 蔡玉琴

封 面 设 计： 林荣桓

目 录

课 文

a o e

ā	á	ǎ	à
ō	ó	ǒ	ò
ē	é	ě	è

a c a   o o   e e

2

i ī í ǐ ì　　u ū ú ǔ ù

y yi　　w wu

yī yí yǐ yì　　wū wú wǔ wù

yī

i　　u　　ü

8

ü   ū ú ǔ ù

yu
yū yú yǔ yù

y	i	yi
w	u	wu
	ü	yu

wū yā

yú

y   w

9

b

p

m

f

b—a → ba

b—a	b—o	b—i	b—u
p—a	p—o	p—i	p—u
m—a	m—o	m—i	m—u
f—a	f—o		f—u

b b b p p p m m m f f f

b — ā → bā

b — á → bá

b — ǎ → bǎ

b — à → bà

bà ba
爸 爸

mā ma
妈 妈

wǒ
我

爸 妈 我

d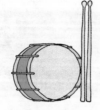

d — e → de
da   di   du

t

t — e → te
ta   ti   tu

n

n — u → nu
n — ü → nü
na   ne   ni

l

l — u → lu
l — ü → lü
la   le   li

d c d   t t t   n n n   l l

dà mǐ
大　米

tǔ dì
土　地

mǎ
马

tù
兔

qīng qīng de
轻　轻　地

xiǎo tù xiǎo tù qīng qīng tiào
小　兔　小　兔　轻　轻　跳，

xiǎo gǒu xiǎo gǒu màn màn pǎo
小　狗　小　狗　慢　慢　跑，

yào shì cǎi téng le xiǎo cǎo
要　是　踩　疼　了　小　草，

wǒ jiù bù gēn nǐ men hǎo
我　就　不　跟　你　们　好。

大　米　土　地　马

儿歌作者郑春华。

我会读

a o e   i u ü

b p m f d t n l

y w

我会写

b—d   f—t   n—m   u—ü

看看读读

lǎ ba

mù tī

yī fu

pù bù

我会连

yā　é　tù

mǎ　lù　lú

我会认

爸爸　　妈妈

大　土　米　我 马 地

15

g　k　h

g—a→ga　k—a→ka　h—a→ha

ge　gu　　ke　ku　　he　hu

g　c　g　　k　k　k　　h　h　h

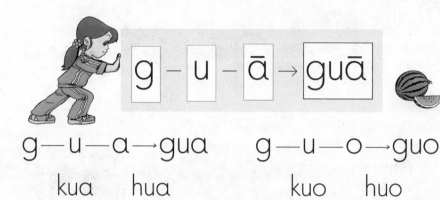

g—u—ā→guā

g—u—a→gua   g—u—o→guo

kua   hua   kuo   huo

cāi yì cāi
猜一猜

liǎng kē xiǎo shù shí gè chà
两棵小树十个杈，

bù zhǎng yè zi bù kāi huā
不长叶子不开花。

néng xiě huì suàn hái huì huà
能写会算还会画，

tiān tiān gàn huó bù shuō huà
天天干活不说话。

花 哥 弟 个 画

hé huā
荷花

gē ge
哥哥

dì di
弟弟

17

j　q　x

j–i→ji　　q–i→qi　　x–i→xi

j–i–a→jia　q–i–a→qia　x–i–a→xia

j → ju
q → ü → qu
x → xu

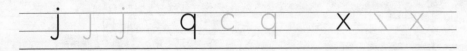

j　j　j　q　c　q　x　x

18

下棋 xià qí

洗衣服 xǐ yī fu

搭积木 dā jī mù

在一起
zài yì qǐ

xiǎo huáng jī　　xiǎo hēi jī
小 黄 鸡， 小 黑 鸡，

huān huān　xǐ　xǐ　zài　yì　qǐ
欢 欢 喜 喜 在 一 起。

páo páo tǔ　　zhuō zhuō chóng
刨 刨 土， 捉 捉 虫，

qīng cǎo　dì shàng zuò yóu xì
青 草 地 上 做 游 戏。

下 洗 衣 服 鸡

儿歌根据李秀英作品改写。

19

Z **zi**

zī zí zǐ zì

z—a→za

ze zu zuo

C **ci**

cī cí cǐ cì

c—a→ca

ce cu cuo

S **si**

sī sí sǐ sì

s—a→sa

se su suo

Z Z   C C   S S

cā bō li
擦 玻 璃

tuō dì
拖 地

zuò hè kǎ
做 贺 卡

guò qiáo
"过 桥"

jì suàn tí　　sān sì dào
计 算 题，　三 四 道，

yì pái děng hào xiàng xiǎo qiáo
一 排 等 号 像 小 桥。

suàn duì le　　zǒu guò qiáo
算 对 了，　　走 过 桥，

zuò cuò le　　guò bù liǎo
做 错 了，　　过 不 了。

xiǎng yì xiǎng　suàn yí suàn
想 一 想，　　算 一 算，

kuài kuài lè lè guò le qiáo
快 快 乐 乐 过 了 桥。

做 过 了 不 乐

儿歌根据邓元杰作品改写。

21

zh
zhi

zh → a → zha
zhe zhu zhua

ch
chi

ch — a → cha
che chu chuo

sh
shi

sh — a → sha
she shu shuo

r
ri

r — e → re
ru ruo

zh zh ch ch sh sh r r

zhú zi
竹子

rì chū
日出

dú shū
读书

qí chē
骑车

huān yíng tái wān xiǎo péng yǒu
欢迎台湾小朋友

yì zhī chuán yáng bái fān
一只船，扬白帆，

piāo ya piāo ya dào tái wān
飘呀飘呀到台湾。

jiē lái tái wān xiǎo péng yǒu
接来台湾小朋友，

dào wǒ xué xiào wán yì wán
到我学校玩一玩。

shēn chū shuāng shǒu jǐn jǐn wò
伸出双手紧紧握，

rè qíng de huà er shuō bù wán
热情的话儿说不完。

出 读 书 骑 车 的 话

复 习 二

读读记记

b p m f　d t n l
g k h　　j q x
zh ch sh r　z c s
　　y　　w

我会摆

hái néng bǎi shén me zì mǔ　shì shi kàn
还能摆什么字母？试试看。

我会想

nǎ xiē tóng xué de xìng lǐ yǒu xià miàn zhè xiē
哪些同学的姓里有下面这些
shēng mǔ
声母？

g k h j q x zh ch sh

24

zū—zhū　　cè—chè　　suō—shuō

nà—là　　pí—qí　　bǔ—dǔ

读读连连

qì chē	yǐ zi	sī guā
hú li	huǒ chē	zhuō zi
bō luó	wū yā	kù zi
wà zi	luó bo	yā lí

我会认

洗　服　车　做　地
读　过　乐　话　哥　鸡
弟

ai

āi ái ǎi ài

d	dai
t	
	tai
n	ai
	nai
l	lai

ei

ēi éi ěi èi

b	bei
p	pei
m	ei
	mei
f	fei

ui

uī uí uǐ uì

zh	zhui
ch	chui
sh	ui
	shui
r	rui

kāi   gěi   huí

你栽树，他培土，我去提水。

小白兔

小白兔，穿皮袄，

耳朵长，尾巴小，

三瓣嘴，胡子翘，

一动一动总在笑。

你 他 水 白 皮 子 在

儿歌根据刘御作品改写。

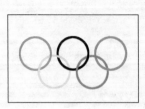

ao

āo áo ǎo ào

z—ao→zao

sao shao

ou

ōu óu ǒu òu

l—ou→lou

zou zhou

iu

iū iú iǔ iù

j—iu→jiu

niu liu

y—ao → yao
y—ou → you

j — iao
q — i —ao→ qiao
x — xiao

xiǎo māo ài chī yú xiǎo gǒu ài chī ròu
小 猫 爱 吃 鱼。小 狗 爱 吃 肉。

xiǎo mǎ hé xiǎo niú ài chī cǎo
小 马 和 小 牛 爱 吃 草。

yǒu lǐ mào
有 礼 貌

dà gōng jī yǒu lǐ mào
大 公 鸡，有 礼 貌，

jiàn le tài yáng jiù wèn hǎo
见 了 太 阳 就 问 好。

tài yáng gōng gong mī mī xiào
太 阳 公 公 眯 眯 笑，

jiǎng tā yì dǐng dà hóng mào
奖 他 一 顶 大 红 帽。

小 爱 吃 鱼 和 牛 草 好

儿歌根据李光迪作品改写。

29

  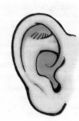

ie　　 üe　　er

ye　　**yue**　　ēr ér ěr èr

n ↘ nüe　　　j ↗ jue
　üe　　　　q — üe → que
l ↗ lüe　　　x ↘ xue

shù yè　　xǐ què

hú dié

ěr jī

kè hòu dà jiā yì qǐ dié fēi jī zuò tiē
课后，大家一起叠飞机，做贴
huà niē ní wá wa yǒu qù jí le
画，捏泥娃娃，有趣极了。

yuè er wān wān
月儿弯弯

yuè er wān wān guà lán tiān
月儿弯弯挂蓝天，
xiǎo xī wān wān chū qīng shān
小溪弯弯出青山，
dà hé wān wān liú rù hǎi
大河弯弯流入海，
jiē dào wān wān dào xiào yuán
街道弯弯到校园。

家飞机有儿河入校

儿歌根据王清秀作品改写。

31

复 习 三

我会读

 ie ei

 iu ui

 ei er

我会连

liǔ　shù

wū　guī

tuó　niǎo

xiǎo　qiáo

méi　huā

dài　shǔ

32

我会认

爸爸　　妈妈　　哥哥　　弟弟

小鸡　　小鱼　　河马　　水牛

读书　　画画　　骑车　　洗衣服

 **读读拼拼**

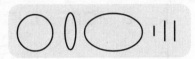

pīn yì pīn
拼 一 拼

sān gè quān quan sān tiáo zhí xiàn
三 个 圈 圈，三 条 直 线。

pīn chū xiǎo yā zuǐ ba biǎn biǎn
拼 出 小 鸭，嘴 巴 扁 扁。

pīn chū xiǎo tù wěi ba duǎn duǎn
拼 出 小 兔，尾 巴 短 短。

hái néng pīn shén me nǐ lái shì shi kàn
还 能 拼 什 么? 你 来 试 试 看。

an

```
d        dan
 \      ↗
t —an→ tan
 /      ↘
n        nan
```

```
g          guan
 \        ↗
k— u —an→ kuan
 /        ↘
h          huan
```

```
j          juan
 \        ↗
q— ü —an→ quan
 /        ↘
x          xuan
```

yuan

en

```
zh         zhen
  \       ↗
ch —en→ chen
  /       ↘
sh         shen
```

in

yin

b → bin
p — in → pin
m → min

un

g — un → gun
cun chun

ün

yun

j → jun
q — ün → qun
x → xun

35

zì diǎn

zhuàn bǐ dāo

wén jù hé

qiān bǐ　　yuán zhū bǐ　　xiě zì běn

yuǎn chù yí zuò zuò shān，jìn chù yí kuài kuài tián
远　处　一　座　座　山，近　处　一　块　块　田。
zuǒ biān yí piàn shù lín，yòu biān yí zuò guǒ yuán
左　边　一　片　树　林，右　边　一　座　果　园。

dēng shān
登 山

一二三， 一二三，
yī èr sān　　yī èr sān

林文孙燕去登山。
lín wén sūn yàn qù dēng shān

林文登到半山腰，
lín wén dēng dào bàn shān yāo

风儿给他擦擦汗。
fēng er gěi tā cā ca hàn

孙燕登到山顶上，
sūn yàn dēng dào shān dǐng shàng

白云夸她意志坚。
bái yún kuā tā yì zhì jiān

山 田 左 片 右 半 云 她

儿歌根据蒋文美作品改写。

37

ang zhang shang
zhuang shuang

yáng

eng beng meng
geng heng

dēng

ing
ying jing xing
ming ting

yīng

ong cong chong
qiong xiong

zhōng

tài yáng

lǎo shī jiāo wǒ men yòng jì suàn jī huà
老师教我们用计算机画

huà xiǎo wén huà le yì duǒ hóng huā xiǎo qīng huà
画。小文画了一朵红花。小青画

le yì zhī bái é wǒ huà le yì tiáo měi lì
了一只白鹅。我画了一条美丽

de cǎi hóng
的彩虹。

cǎi hóng
彩 虹

yǔ guò tiān qíng bái yún piāo
雨过天晴白云飘，

lán tiān jià qǐ cǎi hóng qiáo
蓝天架起彩虹桥。

chì chéng huáng lù qīng lán zǐ
赤橙黄绿青蓝紫，

shǔ shǔ yán sè yǒu qī dào
数数颜色有七道。

老师文朵鹅条雨天桥

儿歌根据程逸汝作品改写。

39

复习 四

我会连

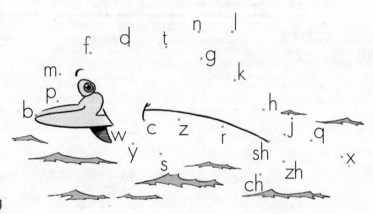

àn shēng mǔ pái liè shùn xù lián yì lián
按 声 母 排 列 顺 序 连 一 连。

f. d t ŋ l
m g k
p h
b c z r j q
w sh
y s zh x
ch

读读连连

kǒng què
dān dǐng hè
dà xióng māo
cháng jǐng lù
shī zi
lǎo hǔ

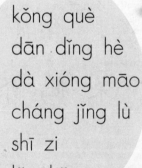

 40

qiū yóu nǐ xiǎng dài shén me
秋游你想带什么?

shǒu juàn

yǔ sǎn

wàng yuǎn jìng

cǎo mào

tiào qí

miàn bāo

shuǐ hú

bǐng gān

shuǐ guǒ

我会讲

xué xiào

dú mù qiáo

41

我会读 老师　　大家　　花朵　　草地

　　　　　　　小河　　大桥　　水田　　风雨

读读背背
qiū yè piāo piāo
秋 叶 飘 飘

hóng sè de hú dié
红 色 的 蝴 蝶，

huáng sè de xiǎo niǎo
黄 色 的 小 鸟，

zài kōng zhōng fēi xiáng
在 空 中 飞 翔，

zài fēng zhōng wǔ dǎo
在 风 中 舞 蹈。

bú shì hú dié bú shì xiǎo niǎo
不 是 蝴 蝶，不 是 小 鸟，

shì hóng yè wǔ huáng yè piāo
是 红 叶 舞，黄 叶 飘，

xiàng qiū gū niang fā lái de diàn bào
像 秋 姑 娘 发 来 的 电 报，

gào su wǒ men qiū tiān yǐ jīng lái dào
告 诉 我 们 秋 天 已 经 来 到。

我会读

b p m f　d t n l

g k h　　j q x

zh ch sh r　z c s

　　y　　w

a o e　　i u ü

ai ei ui ao ou iu ie üe er

an en in un ün

ang eng ing ong

zhi chi shi ri zi ci si

yi wu yu

ye yue yuan

yin yun ying

1

yí qù èr sān lǐ
一 去 二 三 里

yí　　qù　　èr　　sān　　lǐ
一　　去　　二　　三　　里，

yān　　cūn　　sì　　wǔ　　jiā
烟　　村　　四　　五　　家。

tíng　　tái　　liù　　qī　　zuò
亭　　台　　六　　七　　座，

bā　　jiǔ　　shí　　zhī　　huā
八　　九　　十　　枝　　花。

一　去　二　三　里　四

五　六　七　八　九　十

我会写

一	一					
二	二	二				
三	一	二	三			

kǒu ěr mù
口 耳 目

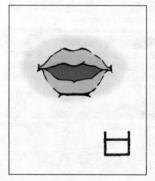

kǒu
口

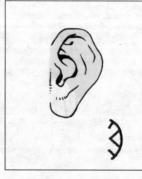

ěr
耳

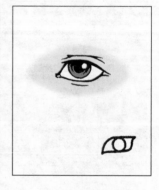

mù
目

yáng
羊

niǎo
鸟

tù
兔

46

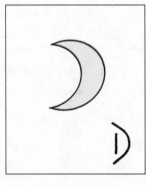

rì

日

yuè

月

huǒ

火

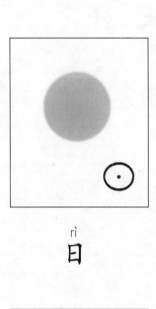

mù

木

hé

禾

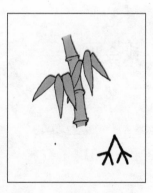

zhú

竹

口 耳 目 羊 鸟 兔
日 月 火 木 禾 竹

 我会写

十	一	十				
木	一	十	才	木		
禾	ノ	禾				

 我会连

　　刀　　鱼　　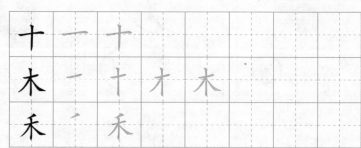

石　　石

　　网　　网　　

万　　刀

3 　zài jiā lǐ
在 家 里

shā fā	chá jī	bào zhǐ	shū jià
沙 发	茶 几	报 纸	书 架

tái dēng	guà zhōng	diàn shì	diàn huà
台 灯	挂 钟	电 视	电 话

wǎn shàng bà ba zài kàn bào mā ma zài
晚上，爸爸在看报，妈妈在
kàn diàn shì wǒ gěi tā men sòng shàng shuǐ guǒ bà
看电视。我给他们送上水果。爸
ba mā ma xiào le wǒ yě xiào le
爸妈妈笑了，我也笑了。

沙 发 报 纸 台 灯 电
视 晚 上 送 果 笑 也

我会写

<ruby>你<rt>nǐ</rt></ruby> <ruby>在<rt>zài</rt></ruby> <ruby>家<rt>jiā</rt></ruby> <ruby>里<rt>lǐ</rt></ruby> <ruby>做<rt>zuò</rt></ruby> <ruby>些<rt>xiē</rt></ruby> <ruby>什<rt>shén</rt></ruby> <ruby>么<rt>me</rt></ruby>?

4 操场上

cāo chǎng shàng

操 场 上

dǎ qiú	bá hé	pāi pí qiú
打 球	拔 河	拍 皮 球
tiào gāo	pǎo bù	tī zú qiú
跳 高	跑 步	踢 足 球

líng shēng xiǎng　　xià kè le
铃　声　响，　　下　课　了，

cāo chǎng shàng　　zhēn rè nào
操　场　上，　　真　热　闹。

tiào gāo bá hé pāi pí qiú
跳　高　拔　河　拍　皮　球，

tiān tiān duàn liàn shēn tǐ hǎo
天　天　锻　炼　身　体　好。

打 球 拔 拍 跳 高 跑
步 足 响 课 真 身 体

我会写

八	ノ	八				
入	ノ	入				
大	一	十	大			
天	二	千	天			

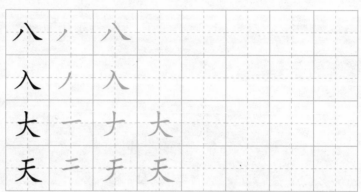

读读画画
bǎ nǐ xǐ huān de huó dòng tú shàng yán sè
把你喜欢的活动涂上颜色。

yuǎn
跳远

shéng
跳绳

jiàn
踢毽子

rēng bāo
扔沙包

zhuō mí cáng
捉迷藏

diū shǒu juàn
丢手绢

huá huá tī
滑滑梯

fàng fēng zhēng
放风筝

zhǎo yì zhǎo xiě xià lái
我会写　找一找，写下来。

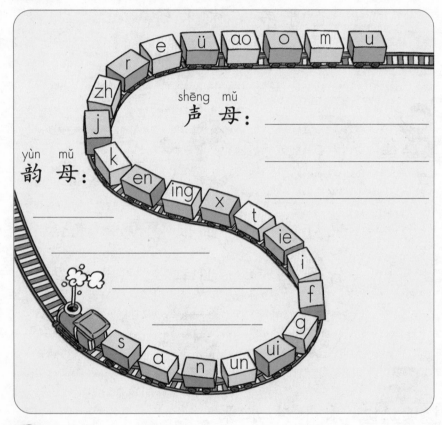

shēng mǔ
声母：＿＿＿＿＿＿＿＿＿

＿＿＿＿＿＿＿＿＿

yùn mǔ
韵母：

＿＿＿＿＿＿＿＿＿

＿＿＿＿＿＿＿＿＿

＿＿＿＿＿＿＿＿＿

我会连　　出　　左　　上　　大

下　　入　　小　　右

日月云　山田土
马牛羊　鸡鱼兔
爸哥弟　木禾竹
你我他　口耳目

 我会连

电灯　　画报　　电话
竹子　　山羊　　木马

 读读说说

乐乐洗水果。

牛牛拍皮球。

沙沙_____。

bǎ rèn shi de xìng tú shàng yán sè
把认识的姓涂上颜色。

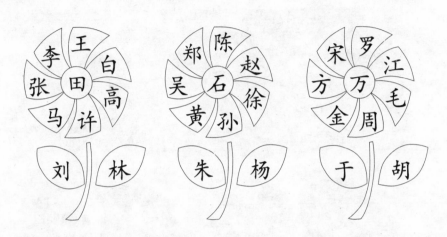

王 李 白
张 田 高
马 许

陈 郑 赵
吴 石 徐
黄 孙

罗 宋 江
方 万 毛
金 周

刘 林

朱 杨

于 胡

读读背背

yǒng é
咏 鹅

骆宾王

é é é
鹅 鹅 鹅，

qū xiàng xiàng tiān gē
曲 项 向 天 歌。

bái máo fú lù shuǐ
白 毛 浮 绿 水，

hóng zhǎng bō qīng bō
红 掌 拨 清 波。

yǒu qù de yóu xì
有趣的游戏

nǐ zuò guò nǎ xiē yóu xì nǐ jué de nǎ xiē yóu
1 你 做 过 哪 些 游 戏? 你 觉 得 哪 些 游

xì zuì yǒu qù
戏 最 有 趣?

hù xiāng shuō shuo zhè xiē yóu xì zěn me yǒu qù
2 互 相 说 说 这 些 游 戏 怎 么 有 趣。

duì nǐ bù shú xī de yóu xì kě yǐ wèn wen tóng
3 对 你 不 熟 悉 的 游 戏，可 以 问 问 同

xué shì zěn me zuò de
学 是 怎 么 做 的。

1　画 (huà)

远 (yuǎn) 看 (kàn) 山 (shān) 有 (yǒu) 色 (sè)，
近 (jìn) 听 (tīng) 水 (shuǐ) 无 (wú) 声 (shēng)。
春 (chūn) 去 (qù) 花 (huā) 还 (hái) 在 (zài)，
人 (rén) 来 (lái) 鸟 (niǎo) 不 (bù) 惊 (jīng)。

远　色　近　听　无　声
春　还　人　来　惊

lǎng dú kè wén　bèi sòng kè wén
朗读课文。背诵课文。

我会写

人	丿	人					
火	丶	⺌	少	火			
文	丶	二	丆	文			
六	一	六	六				

我会说

有一无

远—

来—

白—

高—

笑—

晚—

2 四季
sì jì

cǎo yá jiān jiān
草芽尖尖，

tā duì xiǎo niǎo shuō
他对小鸟说：

wǒ shì chūn tiān
"我是春天。"

hé yè yuán yuán
荷叶圆圆，

tā duì qīng wā shuō
他对青蛙说：

wǒ shì xià tiān
"我是夏天。"

本文根据薛卫民作品改写。

gǔ suì wān wān
谷 穗 弯 弯,

tā jū zhe gōng shuō
他 鞠 着 躬 说:

wǒ shì qiū tiān
"我 是 秋 天。"

xuě rén dà dù zi yì tǐng
雪 人 大 肚 子 一 挺,

tā wán pí de shuō
他 顽 皮 地 说:

wǒ jiù shì dōng tiān
"我 就 是 冬 天。"

对	说	是	叶	圆	夏
秋	雪	肚	就		冬

lǎng dú kè wén bèi sòng kè wén
朗读课文。背诵课文。

我会写

七	一	七				
儿	ノ	儿				
九	ノ	九				
无	二	无	无			

说说画画

nǐ xǐ huān nǎ gè jì jié wèi shén me bǎ nǐ xǐ
你喜欢哪个季节?为什么?把你喜
huān de jì jié huà yí huà
欢的季节画一画。

63

3　<ruby>小<rt>xiǎo</rt></ruby> <ruby>小<rt>xiǎo</rt></ruby> <ruby>竹<rt>zhú</rt></ruby> <ruby>排<rt>pái</rt></ruby> <ruby>画<rt>huà</rt></ruby> <ruby>中<rt>zhōng</rt></ruby> <ruby>游<rt>yóu</rt></ruby>

<ruby>小<rt>xiǎo</rt></ruby> <ruby>竹<rt>zhú</rt></ruby> <ruby>排<rt>pái</rt></ruby>，<ruby>顺<rt>shùn</rt></ruby> <ruby>水<rt>shuǐ</rt></ruby> <ruby>流<rt>liú</rt></ruby>，

<ruby>鸟<rt>niǎo</rt></ruby> <ruby>儿<rt>er</rt></ruby> <ruby>唱<rt>chàng</rt></ruby>，<ruby>鱼<rt>yú</rt></ruby> <ruby>儿<rt>er</rt></ruby> <ruby>游<rt>yóu</rt></ruby>。

<ruby>两<rt>liǎng</rt></ruby> <ruby>岸<rt>àn</rt></ruby> <ruby>树<rt>shù</rt></ruby> <ruby>木<rt>mù</rt></ruby> <ruby>密<rt>mì</rt></ruby>，

<ruby>禾<rt>hé</rt></ruby> <ruby>苗<rt>miáo</rt></ruby> <ruby>绿<rt>lù</rt></ruby> <ruby>油<rt>yóu</rt></ruby> <ruby>油<rt>yóu</rt></ruby>。

<ruby>江<rt>jiāng</rt></ruby> <ruby>南<rt>nán</rt></ruby> <ruby>鱼<rt>yú</rt></ruby> <ruby>米<rt>mǐ</rt></ruby> <ruby>乡<rt>xiāng</rt></ruby>，

<ruby>小<rt>xiǎo</rt></ruby> <ruby>小<rt>xiǎo</rt></ruby> <ruby>竹<rt>zhú</rt></ruby> <ruby>排<rt>pái</rt></ruby> <ruby>画<rt>huà</rt></ruby> <ruby>中<rt>zhōng</rt></ruby> <ruby>游<rt>yóu</rt></ruby>。

排 中 游 流 唱 两
岸 树 苗 绿 江 南

读读背背

lǎng dú kè wén bèi sòng kè wén
朗 读 课 文。背 诵 课 文。

我会写

口	丨	冂	口
日	冂	月	日
中	口	中

我会读　江南　江水　禾苗　树苗　树木　树叶

竹排　木排　两岸　两天　绿色　绿地

65

<ruby>4</ruby>

nǎ zuò fáng zi zuì piào liang
哪 座 房 子 最 漂 亮

yí zuò fáng liǎng zuò fáng
一 座 房, 两 座 房,

qīng qīng de wǎ bái bái de qiáng
青 青 的 瓦, 白 白 的 墙,

kuān kuān de mén dà dà de chuāng
宽 宽 的 门, 大 大 的 窗。

sān zuò fáng sì zuò fáng
三 座 房, 四 座 房,

本文根据杨霞丹作品改写。

66

fáng qián huā guǒ xiāng
房 前 花 果 香，
wū hòu shù chéng háng
屋 后 树 成 行。
nǎ zuò fáng zi zuì piào liang
哪 座 房 子 最 漂 亮？
yào shǔ wǒ men de xiǎo xué táng
要 数 我 们 的 小 学 堂。

哪 座 房 漂 亮 青
门 窗 香 屋 要 们

67

lǎng dú kè wén bèi sòng kè wén
读读背背 朗读课文。背诵课文。

我会写

了	了	了			
子	了	子			
门	丶	门	门		
月	刀	月	月		

kàn shuí shuō de duō
读读说说 看谁说得多。

青青的

白白的

宽宽的

大大的

高高的
小小的

5 爷爷和小树

yé ye hé xiǎo shù
爷爷和小树

wǒ jiā mén kǒu yǒu yì kē xiǎo shù
我 家 门 口 有 一 棵 小 树。

dōng tiān dào
冬 天 到

le yé ye gěi xiǎo
了，爷 爷 给 小

shù chuān shàng nuǎn huo
树 穿 上 暖 和

de yī shang xiǎo shù
的 衣 裳。小 树

bù lěng le
不 冷 了。

xià tiān dào
夏 天 到

le xiǎo shù gěi yé
了，小 树 给 爷

ye chēng kāi lù sè yé ye
爷 撑 开 绿 色 爷 爷

de xiǎo sǎn
的 小 伞。

bú rè le
不 热 了。

本文根据李昆纯作品改写。

69

爷	棵	到	给	穿
暖	冷	开	伞	热

lǎng dú kè wén xiǎng yì xiǎng nuǎn huo de yī shang
朗 读 课 文。想 一 想 "暖 和 的 衣 裳"
hé lǜ sè de xiǎo sǎn gè zhǐ de shì shén me
和 "绿 色 的 小 伞" 各 指 的 是 什 么?

我会写

不	一	不	不	不			
开	二	于	开				
四	丨	冂	四	四	四		
五	一	丆	互	五			

读读说说

暖和的衣裳　　暖和的＿＿＿＿

绿色的小伞　　绿色的＿＿＿＿

漂亮的衣服　　漂亮的＿＿＿＿

雪白的云朵　　雪白的＿＿＿＿

语文园地二

我会连

z	zh		c	ch

子 足 真 座 纸　　　春 唱 草 穿

s	sh		n	l

是 伞 师 色 声　　　流 亮 南 暖

读读比比

了—子　　木—禾　　大—天

十—叶　　土—肚　　田—苗

我会找

爷爷　我们　她们　房屋　屋门

高山　江河　河岸　大树　青草

夏天　雨伞　漂亮　冷热　远近

读读说说

我家门口有一棵小树。

江上有一座大桥。

屋子里有＿＿＿＿＿＿＿。

读读背背

huà　jī
画　鸡

唐寅

tóu shàng hóng guān bú yòng cái
头 上 红 冠 不 用 裁，

mǎn shēn xuě bái zǒu jiāng lái
满 身 雪 白 走 将 来。

píng shēng bù gǎn qīng yán yǔ
平 生 不 敢 轻 言 语，

yí jiào qiān mén wàn hù kāi
一 叫 千 门 万 户 开。

wǒ men de huà
我 们 的 画

gěi tóng xué jiǎng jiang zì jǐ de huà
1 给 同 学 讲 讲 自 己 的 画。

zì yóu zǔ hé kàn kan píng píng bié rén de huà
2 自 由 组 合，看 看、评 评 别 人 的 画。

bàn yí gè tú huà zhǎn lǎn
3 办 一 个 图 画 展 览。

6 静夜思
jìng yè sī

李白

床前明月光，
chuáng qián míng yuè guāng

疑是地上霜。
yí shì dì shàng shuāng

举头望明月，
jǔ tóu wàng míng yuè

低头思故乡。
dī tóu sī gù xiāng

静 夜 床 光 举
头 望 低 故 乡

lǎng dú kè wén　bèi sòng kè wén
朗读课文。背诵课文。

我会写

目	冂	冂	目		
耳	一	厂	冃	冃	耳
头	`	``	半	头	头
米	`	``	半	米	米

我会说

kàn kan yè wǎn de tiān kōng　bǎ kàn dào de shuō gěi
看看夜晚的天空，把看到的说给
tóng xué tīng
同学听。

7　xiǎo xiǎo de chuán
小 小 的 船

wān wān de yuè er xiǎo xiǎo de chuán
弯 弯 的 月 儿 小 小 的 船。

xiǎo xiǎo de chuán er liǎng tóu jiān
小 小 的 船 儿 两 头 尖。

wǒ zài xiǎo xiǎo de chuán lǐ zuò
我 在 小 小 的 船 里 坐,

zhǐ kàn jiàn shǎn shǎn de xīng xing lán lán de tiān
只 看 见 闪 闪 的 星 星 蓝 蓝 的 天。

本文作者叶圣陶。

船 弯 坐 只 看 见 闪 星 蓝

读读背背　　lǎng dú kè wén　bèi sòng kè wén
朗 读 课 文。背 诵 课 文。

我会写

见	丨	冂	贝	见		
白	丿	白				
田	丨	冂	田	田		
电		日	电			

我会说

弯 弯 的 月 亮 像 ＿＿＿＿＿＿＿。　xiàng

蓝 蓝 的 天 空 像 ＿＿＿＿＿＿＿。　kōng

闪 闪 的 星 星 像 ＿＿＿＿＿＿＿。

8 阳光

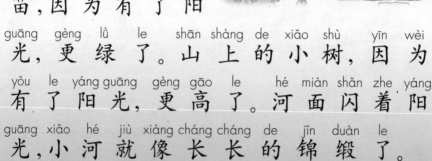

yáng guāng xiàng jīn
阳光像金

zi sǎ biàn tián yě
子，洒遍田野、

gāo shān hé xiǎo hé
高山和小河。

tián lǐ de hé
田里的禾

miáo yīn wèi yǒu le yáng
苗，因为有了阳

guāng gèng lǜ le shān shàng de xiǎo shù yīn wèi
光，更绿了。山上的小树，因为

yǒu le yáng guāng gèng gāo le hé miàn shǎn zhe yáng
有了阳光，更高了。河面闪着阳

guāng xiǎo hé jiù xiàng cháng cháng de jǐn duàn le
光，小河就像长长的锦缎了。

本文根据金波作品改写。

zǎo chén wǒ lā kāi chuāng lián yáng guāng jiù
早晨，我拉开窗帘，阳光就

tiào jìn le wǒ de jiā
跳进了我的家。

shuí yě zhuō bú zhù yáng guāng yáng guāng shì
谁也捉不住阳光，阳光是

dà jiā de
大家的。

yáng guāng xiàng jīn zi yáng guāng bǐ jīn zi
阳光像金子，阳光比金子

gèng bǎo guì
更宝贵。

阳 像 金 野 更 面
长 早 晨 拉 进 谁

79

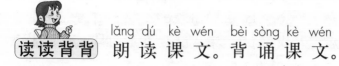

读读背背　　lǎng dú kè wén　bèi sòng kè wén
朗 读 课 文。背 诵 课 文。

我会写

也	乜	也	也			
长	丿	ᅳ	长	长		
山	丨	山	山			
出	凵	屮	出			

dú yì dú　zài kǒu tóu zǔ cí yǔ
读读说说　　读 一 读，再 口 头 组 词 语。

9 影子

yǐng zi zài qián
影子在前，
yǐng zi zài hòu
影子在后，
yǐng zi cháng cháng gēn zhe wǒ
影子常常跟着我，
jiù xiàng yì tiáo xiǎo hēi gǒu
就像一条小黑狗。

yǐng zi zài zuǒ
影子在左，
yǐng zi zài yòu
影子在右，
yǐng zi cháng cháng péi zhe wǒ
影子常常陪着我，
tā shì wǒ de hǎo péng yǒu
它是我的好朋友。

本文根据林焕彰作品改写。

影　前　后　常　跟　着

黑　狗　它　朋　友

lǎng dú　kè wén　bèi sòng kè wén

朗 读 课 文。背 诵 课 文。

我会写

飞	㇆	飞	飞			
马	ㄱ	马	马			
鸟	㇒	ㄅ	ㄅ	鸟	鸟	

我会说

我 的 前 面 是 ＿＿＿。

我 的 后 面 是 ＿＿＿。

我 的 左 面 是 ＿＿＿。

我 的 右 面 是 ＿＿＿。

10　比尾巴
bǐ wěi ba

shuí de wěi ba cháng
谁 的 尾 巴 长?
shuí de wěi ba duǎn
谁 的 尾 巴 短?
shuí de wěi ba hǎo xiàng yì bǎ sǎn
谁 的 尾 巴 好 像 一 把 伞?

hóu zi de wěi ba cháng
猴 子 的 尾 巴 长。
tù zi de wěi ba duǎn
兔 子 的 尾 巴 短。
sōng shǔ de wěi ba hǎo xiàng yì bǎ sǎn
松 鼠 的 尾 巴 好 像 一 把 伞。

本文根据程宏明作品改写。

shuí de wěi ba wān
谁 的 尾 巴 弯?
shuí de wěi ba biǎn
谁 的 尾 巴 扁?
shuí de wěi ba zuì hǎo kàn
谁 的 尾 巴 最 好 看?

gōng jī de wěi ba wān
公 鸡 的 尾 巴 弯。
yā zi de wěi ba biǎn
鸭 子 的 尾 巴 扁。
kǒng què de wěi ba zuì hǎo kàn
孔 雀 的 尾 巴 最 好 看。

比 尾 巴 短 把 猴
松 鼠 扁 最 公 鸭

84

读读背背

lǎng dú kè wén bèi sòng kè wén
朗 读 课 文。背 诵 课 文。

我会写

云	二	云	云				
公	八	公					
车	一	车	车	车			

读读画画

gěi dòng wù jiā shàng wěi ba
给 动 物 加 上 尾 巴。

猴子　　　　　兔子　　　　　公鸡

牛　　　　　　马　　　　　　鱼

我会填

子 头 长 出 飞 火

三画　　四画　　五画

看看读读

白云

木船

小河

小狗

鸭子

野花

^{zhī}
一只小狗　　一条小河　　一朵白云

两只鸭子　　一条木船　　几朵野花^{jǐ}

草 拉
拔 花
跑 排
拍 苗
跳 才 足 报
打 艹 蓝
跟 把

读读背背

dōng xī nán běi
东西南北

zǎo chén qǐ lái
早 晨 起 来，

miàn xiàng tài yáng
面 向 太 阳。

qián miàn shì dōng
前 面 是 东，

hòu miàn shì xī
后 面 是 西，

zuǒ miàn shì běi
左 面 是 北，

yòu miàn shì nán
右 面 是 南。

这样做不好

zhè yàng zuò bù hǎo

1　说说每幅图画的是什么。
shuō shuo měi fú tú huà de shì shén me

2　讨论讨论：这样做为什么不好？
tǎo lùn tǎo lùn　zhè yàng zuò wèi shén me bù hǎo

你怎样劝说他们不要这样做？
nǐ zěn yàng quàn shuō tā men bú yào zhè yàng zuò

1　比一比

bǐ yì bǐ

huáng niú	huā māo	yā zi	xiǎo niǎo
黄牛	花猫	鸭子	小鸟

xìng zi	táo zi	píng guǒ	hóng zǎo
杏子	桃子	苹果	红枣

yí gè dà　　yí gè xiǎo
一 个 大，　一 个 小，
yì tóu huáng niú　yì zhī māo
一 头 黄 牛 一 只 猫。

yì biān duō　　yì biān shǎo
一 边 多，　一 边 少，
yì qún yā zi　　yì zhī niǎo
一 群 鸭 子 一 只 鸟。

yí gè dà　　yí gè xiǎo
一 个 大，　一 个 小，
yí gè píng guǒ　yì kē zǎo
一 个 苹 果 一 颗 枣。

yì biān duō　　yì biān shǎo
一 边 多，　一 边 少，
yì duī xìng zi　yí gè táo
一 堆 杏 子 一 个 桃。

黄 猫 杏 桃 苹 红
边 多 少 群 颗 堆

90　儿歌根据杨福康作品改写。

我会写

牛	ノ	乍	牛			
羊	丶	丷	兰	羊		
小	亅	小	小			
少	小	少				

我会说

一朵花

2　zì xuǎn shāng chǎng　自选商场

miàn bāo	niú nǎi	huǒ tuǐ cháng
面 包	牛 奶	火 腿 肠
yá gāo	máo jīn	xǐ yī fěn
牙 膏	毛 巾	洗 衣 粉
qiān bǐ	chǐ zi	zuò yè běn
铅 笔	尺 子	作 业 本

zì xuǎn shāng chǎng lǐ de dōng xi zhēn duō
自选商场里的东西真多。

wǒ hé mā ma cóng huò jià shàng xuǎn le yì
我和妈妈从货架上选了一

xiē shí pǐn shōu kuǎn de ā yí yòng diàn nǎo hěn kuài
些食品。收款的阿姨用电脑很快

suàn chū le yào fù de qián
算出了要付的钱。

zài zì xuǎn shāng chǎng mǎi dōng xi zhēn fāng biàn
在自选商场买东西真方便。

商 场 包 奶 牙 毛 巾
笔 尺 作 业 本 东 西

我会写

巾	丨	冂	巾				
牙	一	二	于	牙			
尺	丆	尸	尺				
毛	丿	三	毛				

3 菜园里

qié zi	là jiāo	huáng guā
茄子	辣椒	黄瓜

dòu jiǎo	luó bo	nán guā
豆角	萝卜	南瓜

bái cài	juǎn xīn cài	xī hóng shì
白菜	卷心菜	西红柿

dòu jiǎo qīng qīng xì yòu cháng
豆 角 青 青 细 又 长，

huáng guā shēn chuān lǜ yī shang
黄 瓜 身 穿 绿 衣 裳。

qié zi gāo gāo dǎ dēng long
茄 子 高 高 打 灯 笼，

luó bo dì xià zhuō mí cáng
萝 卜 地 下 捉 迷 藏。

là jiāo zhǎng gè jiān jiān zuǐ
辣 椒 长 个 尖 尖 嘴，

nán guā yuè lǎo pí yuè huáng
南 瓜 越 老 皮 越 黄。

hóng lǜ huáng zǐ zhēn hǎo kàn
红 绿 黄 紫 真 好 看，

cài yuán yí piàn hǎo fēng guāng
菜 园 一 片 好 风 光。

菜	园	豆	角	萝	卜	心
又	捉	迷	藏	嘴	越	风

儿歌作者寒枫。

95

我会写

卜	丨	卜				
又	フ	又				
心	丶	心	心	心		
风	丿	几	凤	风		

我会读　青菜　　土豆　　萝卜　　越长越大

热心　　风光　　公园　　捉迷藏

画画连连　红　绿　黄　紫

豆角　　　　　辣椒　　　　　黄瓜

南瓜　　　　　茄子　　　　　西红柿

^{rì yuè míng}

4 日月明

rì yuè míng　yú yáng xiān
日 月 明，鱼 羊 鲜，
xiǎo tǔ chén　xiǎo dà jiān
小 土 尘，小 大 尖。

yī huǒ miè　tián lì nán
一 火 灭，田 力 男，
rén mù xiū　shǒu mù kàn
人 木 休，手 目 看。

èr mù lín　sān mù sēn
二 木 林，三 木 森，
èr rén cóng　sān rén zhòng
二 人 从，三 人 众。

明 鲜 尘 尖 灭 力 男
休 手 林 森 从 众

我会写

力	丁	力				
手	一	三	手			
水	丨	汁	水	水		

我会读

笔尖　　鲜花　　竹林　　森林

明天　　尘土　　手心　　灭火

读读想想

不　正　歪（zhèng wāi）　歪歪扭扭（niǔ）

日　光　晃（huǎng）　晃眼睛（yǎn jīng）

三　口　品（pǐn）　品茶（chá）

三　日　晶（jīng）　亮晶晶

语文园地四

我会认

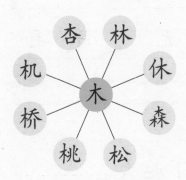

杏　林
机　　休
　木
桥　　森
桃　松

我会读

第五食品加工厂

红星路小学

六一幼儿园

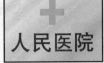

人民医院

一年级一班

99

比比写写

| 十 | 土 | | 日 | 目 | | 小 | 少 |

| 天 | 无 | | 手 | 毛 | | 田 | 电 |

我会读

雨越下越大。

天越来越黑。

飞机越飞越高。

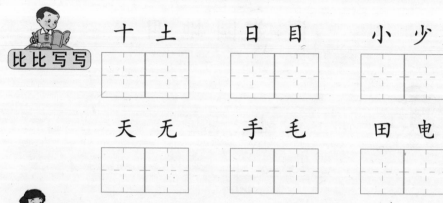
读读背背

mǐn nóng
悯 农（一）

李 绅

chú hé rì dāng wǔ
锄 禾 日 当 午，

hàn dī hé xià tǔ
汗 滴 禾 下 土。

shuí zhī pán zhōng cān
谁 知 盘 中 餐，

lì lì jiē xīn kǔ
粒 粒 皆 辛 苦。

wǒ huì pīn tú
我 会 拼 图

shuō shuo nǐ yòng zhǐ piàn pīn chéng le shén me shì zěn
1 说 说 你 用 纸 片 拼 成 了 什 么，是 怎

me pīn chéng de
么 拼 成 的。

píng yì píng shuí pīn de hǎo shuí shuō de hǎo
2 评 一 评 谁 拼 得 好，谁 说 得 好。

11 我多想去看看
wǒ duō xiǎng qù kàn kan

mā ma gào su wǒ
妈妈告诉我，

yán zhe wān wān de xiǎo lù
沿着弯弯的小路，

jiù néng zǒu chū dà shān
就能走出大山。

yáo yuǎn de běi jīng chéng
遥远的北京城，

yǒu yí zuò tiān ān mén
有一座天安门，

guǎng chǎng shàng shēng qí yí shì fēi cháng zhuàng guān
广场上升旗仪式非常壮观。

102

本文根据王宝柱作品改写。

<ruby>我<rt>wǒ</rt></ruby> <ruby>对<rt>duì</rt></ruby> <ruby>妈<rt>mā</rt></ruby> <ruby>妈<rt>ma</rt></ruby> <ruby>说<rt>shuō</rt></ruby>，

我对妈妈说，

我多想去看看，

我多想去看看。

想　告　诉　路　能　走　北
京　城　安　广　升　旗

lǎng dú kè wén bèi sòng kè wén
朗 读 课 文。背 诵 课 文。

我会写

广	丶	亠	广		
升	丿	二	千	升	
足	口	卩	므	尸	足
走	土	走			

我会读

guó   shǒu dū
北京是我国的首都。

五星红旗是我国的国旗。

我们爱北京。

我们爱五星红旗。

12 雨点儿

数不清的雨点儿，从云彩里飘落下来。

半空中，大雨点儿问小雨点儿："你要到哪里去？"

小雨点儿回答："我要去有花有草的地方。你呢？"

本文作者金波。

dà yǔ diǎn er shuō　wǒ yào qù méi yǒu
大 雨 点 儿 说:"我 要 去 没 有
huā méi yǒu cǎo de dì fang
花 没 有 草 的 地 方。"

bù jiǔ　yǒu huā yǒu cǎo de dì fang huā
不 久, 有 花 有 草 的 地 方, 花
gèng hóng le　cǎo gèng lù le méi yǒu huā méi yǒu
更 红 了, 草 更 绿 了。 没 有 花 没 有
cǎo de dì fang zhǎng chū le hóng de huā lù de
草 的 地 方, 长 出 了 红 的 花, 绿 的
cǎo
草。

点 数 清 彩 飘 落
空 问 回 答 方

lǎng dú kè wén
朗读课文。

我会写

方	一	亓	方				
半	丷	兰	半				
巴	𠃌	刀	𠀉	巴			

我会读

雨点儿从云彩里飘落下来。

小松鼠从树上跳下来。

亮亮从屋里跑出去。

píng ping dā jī mù
平平搭积木

píng ping dā jī mù
平平搭积木，
dā le sì jiān fáng zi
搭了四间房子。

píng ping píng ping
平平，平平，
zhè xiē fáng zi dōu gěi shuí zhù
这些房子都给谁住？

本文根据田地作品改写。

yì jiān gěi yé ye hé tā de shū zhù
一 间 给 爷 爷 和 他 的 书 住。

yì jiān gěi nǎi nai hé píng ping zhù
一 间 给 奶 奶 和 平 平 住。

yì jiān gěi bà ba mā ma zhù
一 间 给 爸 爸 妈 妈 住。

píng ping píng ping
平 平，平 平，

hái yǒu yì jiān ne
还 有 一 间 呢?

hái yǒu yì jiān a
还 有 一 间 啊，

gěi méi yǒu fáng zi de rén zhù
给 没 有 房 子 的 人 住。

píng ping hái yào dā
平 平 还 要 搭

hěn duō hěn duō de fáng zi
很 多 很 多 的 房 子，

gěi dà jiā zhù
给 大 家 住。

109

平	搭	间	这	些	都
住	呢	啊	没	很	

lǎng dú kè wén
读一读 朗 读 课 文。

我会写

业	丨	刂	业	业	业		
本	木	本					
平	一	平	平	平			
书	乛	马	书	书			

读读说说

很多很多的房子　　很高很高的山

很清很清的河水　　很绿很绿的树

很红很红的____　　很__很__的路

很大很大的____　　很__很__的__

110

14 自己去吧

小鸭说:"妈妈,您带我去游泳好吗?"妈妈说:"小溪的水不深,自己去游吧。"过了几天,小鸭学会了游泳。

本文根据李少白作品改写。

xiǎo yīng shuō　　mā ma　　wǒ xiǎng qù shān
小鹰说："妈妈，我想去山

nà biān kàn kan　nín dài wǒ qù hǎo ma　　mā
那边看看，您带我去好吗？"妈

ma shuō　　shān nà biān fēng jǐng hěn měi　zì jǐ
妈说："山那边风景很美，自己

qù kàn ba　　guò le jǐ tiān xiǎo yīng xué huì
去看吧。"过了几天，小鹰学会

le fēi xiáng
了飞翔。

自 己 吧 您 带 吗
深 学 会 那 景 美

lǎng dú kè wén bèi sòng kè wén
朗读课文。背诵课文。

我会写

自	⺈	自					
己	⼀	⼄	己				
东	一	土	在	东	东		
西	一	兀	西	西	西		

说一说 zuì jìn nǐ xué huì le shén me shì zěn me xué
最 近 你 学 会 了 什 么? 是 怎 么 学
huì de
会 的?

113

15 一次比一次有进步
yí cì bǐ yí cì yǒu jìn bù

cài yuán lǐ dōng
菜 园 里， 冬
guā tǎng zài dì shàng qié
瓜 躺 在 地 上， 茄
zi guà zài zhī shàng
子 挂 在 枝 上。

wū yán xià yàn
屋 檐 下， 燕
zi mā ma duì xiǎo yàn zi
子 妈 妈 对 小 燕 子
shuō nǐ dào cài yuán qù kàn kan dōng guā hé
说："你 到 菜 园 去， 看 看 冬 瓜 和
qié zi yǒu shén me bù yí yàng xiǎo yàn zi
茄 子 有 什 么 不 一 样?" 小 燕 子
qù le huí lái shuō mā ma mā ma dōng guā
去 了， 回 来 说："妈 妈， 妈 妈， 冬 瓜
dà qié zi xiǎo
大， 茄 子 小!"

yàn zi mā ma shuō nǐ shuō de duì
燕 子 妈 妈 说："你 说 得 对。
nǐ néng bù néng zài qù kàn kan hái yǒu shén me
你 能 不 能 再 去 看 看， 还 有 什 么
bù yí yàng xiǎo yàn zi yòu qù le huí lái
不 一 样?" 小 燕 子 又 去 了， 回 来

本文根据方崇智作品改写。

shuō mā ma mā ma dōng guā shì lǜ de qié
说："妈妈，妈妈，冬瓜是绿的，茄
zi shì zǐ de
子是紫的！"

yàn zi mā ma diǎn dian tóu shuō hěn
燕子妈妈点点头，说："很
hǎo kě shì nǐ néng bù néng zài qù zǐ xì kàn
好。可是，你能不能再去仔细看
kan tā men hái yǒu shén me bù yí yàng xiǎo
看，它们还有什么不一样？"小
yàn zi yòu qù le huí lái gāo xìng de shuō
燕子又去了，回来高兴地说：
mā ma mā ma wǒ fā xiàn dōng guā de pí
"妈妈，妈妈，我发现冬瓜的皮
shàng yǒu xì máo qié zi de bǐng shàng yǒu xiǎo cì
上有细毛，茄子的柄上有小刺！"
yàn zi mā ma xiào le shuō nǐ yí cì bǐ yí
燕子妈妈笑了，说："你一次比一
cì yǒu jìn bù
次有进步！"

次 瓜 燕 什 么 样 得

再 可 仔 细 兴 现

读读想想

lǎng dú kè wén xiǎng yì xiǎng yàn zi mā ma
朗 读 课 文。想 一 想，燕 子 妈 妈

wèi shén me kuā xiǎo yàn zi
为 什 么 夸 小 燕 子?

我会写

回	冂	回	回				
片	丿	广	片	片			
皮	宀	广	皮	皮			

读读说说

看看　看一看　　说说 ＿＿＿＿

比比 ＿＿＿＿　　读读 ＿＿＿＿

听听 ＿＿＿＿　　数数 ＿＿＿＿

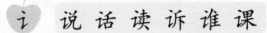

语文园地五

我会认

讠　说 话 读 诉 谁 课

亻　作 仔 住 体 什 做 他

口　呢 啊 吗 吧 听 唱 响 嘴 哪

我会读

天空　　广场　　这里　　那些

长城　　红旗　　景色　　美好

回家　　再见　　仔细　　高兴

比比写写

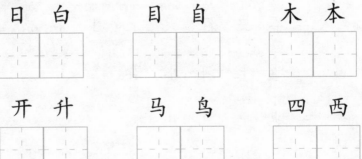

日　白　　　目　自　　　木　本

开　升　　　马　鸟　　　四　西

117

你去北京吗？

_____吗？

我的书包呢？

_____呢？

他就是你的朋友吧？

_____吧？

我会读

tiān shàng de xiǎo bái yáng
天 上 的 小 白 羊

tiān shàng yì qún xiǎo bái yáng
天 上 一 群 小 白 羊，

yǒu de zhàn zhe yǒu de tǎng
有 的 站 着 有 的 躺。

xiǎo bái yáng a xià lái ba
小 白 羊 啊 下 来 吧，

bú yào zài tiān shàng zháo le liáng
不 要 在 天 上 着 了 凉。

dì shàng hé shuǐ qīng
地 上 河 水 清，

dì shàng cǎo er féi
地 上 草 儿 肥，

dì shàng cái shì nǐ men de jiā xiāng
地 上 才 是 你 们 的 家 乡。

该怎么办

gāi zěn me bàn

小明每天帮王爷爷取牛奶。

王爷爷提出每天给小明一毛钱，小明不要。

1 说说这三幅图讲了一件什么事。
shuō shuo zhè sān fú tú jiǎng le yí jiàn shén me shì

2 互相说说小明该怎么办。
hù xiāng shuō shuo xiǎo míng gāi zěn me bàn

3 评一评谁说的办法好。
píng yì píng shuí shuō de bàn fǎ hǎo

119

16 小松鼠找花生

xiǎo sōng shǔ zhǎo huā shēng

dà shù páng biān de dì lǐ zhòng le xǔ
大树旁边的地里种了许
duō huā shēng huā shēng yǐ jīng kāi huā le yì duǒ
多花生。花生已经开花了，一朵
duǒ jīn huáng sè de xiǎo huā zài yáng guāng xià gé
朵金黄色的小花，在阳光下格
wài xiān yàn
外鲜艳。

xiǎo sōng shǔ wèn yǎn shǔ zhè shì shén me
小松鼠问鼹鼠："这是什么
huā ya yǎn shǔ shuō zhè shì huā shēng de huā
花呀？"鼹鼠说："这是花生的花。
dào le qiū tiān huì jiē huā shēng huā shēng kě hǎo
到了秋天，会结花生，花生可好

120

本文根据嵇鸿作品改写。

吃啦!"小松鼠很高兴,他想:等
花结了果,我就把花生摘下来,
留着冬天吃。

　　小松鼠每天都到地里去,
看看结花生了没有。

　　他等啊,等啊,等到花都落
光了,也没看见一个花生。

　　小松鼠感到很奇怪,自言自
语地说:"是谁把花生摘走了呢?"

找 生 旁 种 许 格
外 艳 呀 每 言 语

读读想想

lǎng dú kè wén xiǎng yì xiǎng huā shēng zhēn de
朗 读 课 文。想 一 想，花 生 真 的
bèi zhāi zǒu le ma
被 摘 走 了 吗？

我会写

生	丿	丿	牛	生		
里	日	甲	甲	里		
果	日	旦	甲	果		

我会读

生	生长	生日	花生
种	种树	种菜	种地
许	许多	不许	也许
外	外面	外衣	外语

17 雪地里的小画家

下雪啦，下雪啦！

雪地里来了一群小画家。

小鸡画竹叶，小狗画梅花，

小鸭画枫叶，小马画月牙。

不用颜料不用笔，

几步就成一幅画。

青蛙为什么没参加？

他在洞里睡着啦。

本文根据程宏明作品改写。

123

啦 梅 用 几 成 蛙

为 参 加 洞 睡

 读读背背

lǎng dú kè wén　bèi sòng kè wén
朗 读 课 文。背 诵 课 文。

 我会写

几	丿	几					
用	冂	用	用				
鱼	丿	夕	鱼	鱼			

 读读连连

小鸡　　小鸭　　小狗　　小马

枫叶　　竹叶　　月牙　　梅花

18 借生日

早晨，小云醒来一看，枕头边放着一只可爱的布熊。

妈妈走过来，祝小云生日快乐。小云问妈妈："您怎么从来不过生日？"妈妈笑着说："我忘了。"

本文根据李想作品改写。

chī guò zǎo fàn   mā ma yào qù shàng bān
吃 过 早 饭，妈 妈 要 去 上 班，
ná qǐ bāo yí kàn   lǐ miàn zhuāng zhe yì zhī bù xióng
拿 起 包 一 看，里 面 装 着 一 只 布 熊。
tā zhèng yào wǎng wài ná   xiǎo yún pǎo guò
她 正 要 往 外 拿，小 云 跑 过
lái àn zhù mā ma de shǒu   shuō   mā ma   zhè
来 按 住 妈 妈 的 手，说："妈 妈，这
gè bù xióng shì wǒ sòng nín de shēng rì lǐ wù
个 布 熊 是 我 送 您 的 生 日 礼 物。
nín zǒng shì wàng le zì jǐ de shēng rì   jīn tiān
您 总 是 忘 了 自 己 的 生 日，今 天
wǒ bǎ shēng rì jiè gěi nín
我 把 生 日 借 给 您！"

放 布 熊 快 怎 饭
班 拿 正 礼 物 今

lǎng dú kè wén
朗 读 课 文。

我会写

今	人	仒	今		
正	一	丅	下	正	正
雨	一	厅	雨	雨	雨
两	厅	两	两	两	

kàn shuí shuō de duō
读读说说 看 谁 说 得 多。

放　　放心　　放松　＿＿＿＿

班　　上班　　班长　＿＿＿＿

正　　正在　　正常　＿＿＿＿

快　　快乐　　飞快　＿＿＿＿

127

19 雪孩子

下了一夜的大雪。房子上、树上、地上一片白。

妈妈吃一了雪和一起，找了的他一起。兔妈妈去堆亮漂子，让兔白她出她一个孩子小玩。要的。

 本文根据嵇鸿作品改写。

看着可爱的雪孩子,小白兔真高兴。他和雪孩子又唱又跳,玩得很开心。

小白兔玩累了,就回家休息。屋子里很冷,他往火里加了一些柴,就上床睡觉了。

旁边烧兔烧，一知火把堆小白兔正香，一点儿也不知道。边的着睡得儿也不知道。

子兔就了，雪孩子小白兔跑了。雪孩子小火地跑过去。看见着快飞去。

雪孩子
从大火中救
出了小白兔，
自己却化了。

雪孩子
哪里去了呢？
他飞到了空
中，成了一朵
白云，一朵很
美很美的白
云。

孩 让 起 玩 往

觉 烧 知 道 化

读读想想

lǎng dú kè wén xiǎng yì xiǎng xuě hái zi hái huì
朗读课文。想一想，雪孩子还会
huí lái ma
回来吗？

我会写

瓜		𠂆			瓜		
衣	亠				衣		
来	一				来		

读读说说

又唱又跳　　又细又长

又说又笑　　又大又圆

又＿又＿　　又＿又＿

20　小熊住山洞

　　小熊一家住在山洞里。

　　熊爸爸对小熊说："我们去砍些树，造一间木头房子住。"

　　春天，他们走进森林。树上长满了绿叶，小熊舍不得砍。

本文根据胡木仁作品改写。

夏天，他们走进森林。树上开满了花儿，小熊舍不得砍。

秋天，他们走进森林。树上结满了果子，小熊舍不得砍。

冬天，他们走进森林。树上有许多鸟儿，小熊舍不得砍。

一年又一年，他们没有砍树造房子，一直住在山洞里。

森林里的动物都很感激小熊一家，给他们送来一束束美丽的鲜花。

砍 造 满 舍 结
年 直 动 束 丽

读读想想

lǎng dú　kè wén　xiǎng yì xiǎng dòng wù　gěi xiǎo
朗 读 课 文。想 一 想,动 物 给 小
xióng sòng xiān huā shí huì shuō xiē shén me
熊 送 鲜 花 时 会 说 些 什 么?

我会写

年	亻	仁	乍	生	年	
左	一	大	左	左	左	
右	大	右				

读读说说

束　一束束　一束束美丽的鲜花

棵　一棵棵　一棵棵高大的松树

个　_____　_____

只　_____　_____

语文园地六

kàn shuí shuō de duō

看谁说得多。

辶 造＿＿＿　　女 好＿＿＿　　土 堆＿＿＿

纟 绿＿＿＿　　犭 狗＿＿＿　　门 问＿＿＿

氵 漂＿＿＿　　宀 它＿＿＿　　人 舍＿＿＿

我会连

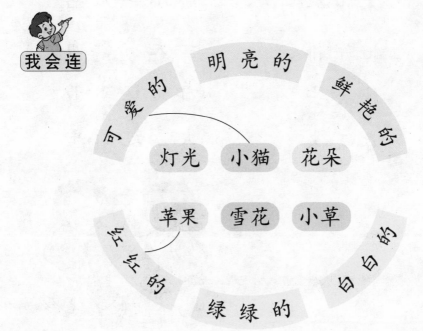

明亮的　　可爱的　　鲜艳的

灯光　小猫　花朵

苹果　雪花　小草

火红的　白白的　绿绿的

高兴　高高兴兴　　　许多　许许多多

漂亮　漂漂亮亮　　　仔细　仔仔细细

日夜 _____　　　来往 _____

红火 _____　　　明白 _____

我会猜

不识字，

把字排，

秋天去，

春天来。

小小一本书，

一天看一面，

看完这本书，

大家过新年。

小兔运南瓜

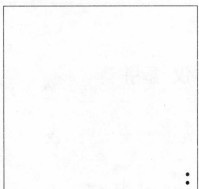

xiǎng yì xiǎng shuō shuo xiǎo tù kě yǐ yòng nǎ xiē bàn
1 想 一 想，说 说 小 兔 可 以 用 哪 些 办
fǎ bǎ nán guā yùn huí jiā
法 把 南 瓜 运 回 家。

tǎo lùn tǎo lùn nǎ zhǒng yùn nán guā de bàn fǎ hǎo
2 讨 论 讨 论：哪 种 运 南 瓜 的 办 法 好？
wèi shén me
为 什 么？

139

生 字 表 (一)

汉语拼音

3	bà 爸	mā 妈	wǒ 我				
4	dà 大	mǐ 米	tǔ 土	dì 地	mǎ 马		
5	huā 花	gē 哥	dì 弟	gè 个	huà 画		
6	xià 下	xǐ 洗	yī 衣	fú 服	jī 鸡		
7	zuò 做	guò 过	le 了	bù 不	lè 乐		
8	chū 出	dú 读	shū 书	qí 骑	chē 车	de 的	huà 话
9	nǐ 你	tā 他	shuǐ 水	bái 白	pí 皮	zǐ 子	zài 在
10	xiǎo 小	ài 爱	chī 吃	yú 鱼	hé 和	niú 牛	cǎo 草	hǎo 好
11	jiā 家	fēi 飞	jī 机	yǒu 有	ér 儿	hé 河	rù 入	xiào 校

140

12	shān 山	tián 田	zuǒ 左	piàn 片	yòu 右	bàn 半	yún 云	tā 她
13	lǎo 老	shī 师	wén 文	duǒ 朵	é 鹅	tiáo 条	yǔ 雨	tiān 天	qiáo 桥

识字（一）

1	yī 一	qù 去	èr 二	sān 三	lǐ 里	sì 四	wǔ 五	liù 六	qī 七	bā 八

	jiǔ 九	shí 十

2	kǒu 口	ěr 耳	mù 目	yáng 羊	niǎo 鸟	tù 兔	rì 日	yuè 月	huǒ 火	mù 木

	hé 禾	zhú 竹

3	shā 沙	fā 发	bào 报	zhǐ 纸	tái 台	dēng 灯	diàn 电	shì 视	wǎn 晚	shàng 上

	sòng 送	guǒ 果	xiào 笑	yě 也

4	dǎ 打	qiú 球	bá 拔	pāi 拍	tiào 跳	gāo 高	pǎo 跑	bù 步	zú 足	xiǎng 响

	kè 课	zhēn 真	shēn 身	tǐ 体

课文

1
yuǎn sè jìn tīng wú shēng chūn hái rén lái
远 色 近 听 无 声 春 还 人 来
jīng
惊

2
duì shuō shì yè yuán xià qiū xuě dù jiù
对 说 是 叶 圆 夏 秋 雪 肚 就
dōng
冬

3
pái zhōng yóu liú chàng liǎng àn shù miáo lù
排 中 游 流 唱 两 岸 树 苗 绿
jiāng nán
江 南

4
nǎ zuò fáng piào liàng qīng mén chuāng xiāng wū
哪 座 房 漂 亮 青 门 窗 香 屋
yào men
要 们

5
yé kē dào gěi chuān nuǎn lěng kāi sǎn rè
爷 棵 到 给 穿 暖 冷 开 伞 热

6
jìng yè chuáng guāng jǔ tóu wàng dī gù xiāng
静 夜 床 光 举 头 望 低 故 乡

7
chuán wān zuò zhǐ kàn jiàn shǎn xīng lán
船 弯 坐 只 看 见 闪 星 蓝

8	yáng 阳	xiàng 像	jīn 金	yě 野	gèng 更	miàn 面	cháng 长	zǎo 早	chén 晨	lā 拉
	jìn 进	shuí 谁								

9	yǐng 影	qián 前	hòu 后	cháng 常	gēn 跟	zhe 着	hēi 黑	gǒu 狗	tā 它	péng 朋
	yǒu 友									

10	bǐ 比	wěi 尾	bā 巴	duǎn 短	bǎ 把	hóu 猴	sōng 松	shǔ 鼠	biǎn 扁	zuì 最
	gōng 公	yā 鸭								

识字（二）

1	huáng 黄	māo 猫	xìng 杏	táo 桃	píng 苹	hóng 红	biān 边	duō 多	shǎo 少	qún 群
	kē 颗	duī 堆								

2	shāng 商	chǎng 场	bāo 包	nǎi 奶	yá 牙	máo 毛	jīn 巾	bǐ 笔	chǐ 尺	zuò 作
	yè 业	běn 本	dōng 东	xī 西						

3	cài 菜	yuán 园	dòu 豆	jiǎo 角	luó 萝	bo 卜	xīn 心	yòu 又	zhuō 捉	mí 迷

cáng zuǐ yuè fēng
藏 嘴 越 风

4
míng xiān chén jiān miè lì nán xiū shǒu lín
明 鲜 尘 尖 灭 力 男 休 手 林

sēn cóng zhòng
森 从 众

课文

11
xiǎng gào sù lù néng zǒu běi jīng chéng ān
想 告 诉 路 能 走 北 京 城 安

guǎng shēng qí
广 升 旗

12
diǎn shǔ qīng cǎi piāo luò kōng wèn huí dá
点 数 清 彩 飘 落 空 问 回 答

fāng
方

13
píng dā jiān zhè xiē dōu zhù ne a méi
平 搭 间 这 些 都 住 呢 啊 没

hěn
很

14
zì jǐ ba nín dài ma shēn xué huì nà
自 己 吧 您 带 吗 深 学 会 那

jǐng měi
景 美

15
cì guā yàn shén me yàng de zài kě zǐ
次 瓜 燕 什 么 样 得 再 可 仔

xì xìng xiàn
细 兴 现

16
zhǎo shēng páng zhòng xǔ gé wài yàn ya měi
找 生 旁 种 许 格 外 艳 呀 每

yán yǔ
言 语

17
la méi yòng jǐ chéng wā wèi cān jiā dòng
啦 梅 用 几 成 蛙 为 参 加 洞

shuì
睡

18
fàng bù xióng kuài zěn fàn bān ná zhèng lǐ
放 布 熊 快 怎 饭 班 拿 正 礼

wù jīn
物 今

19
hái ràng qǐ wán wǎng jiào shāo zhī dào huà
孩 让 起 玩 往 觉 烧 知 道 化

20
kǎn zào mǎn shě jiē nián zhí dòng shù lì
砍 造 满 舍 结 年 直 动 束 丽

共400个字

生 字 表 (二)

识字 (一)

1 | 一 yī | 二 èr | 三 sān

2 | 十 shí | 木 mù | 禾 hé

3 | 上 shàng | 下 xià | 土 tǔ | 个 gè

4 | 八 bā | 入 rù | 大 dà | 天 tiān

课文

1 | 人 rén | 火 huǒ | 文 wén | 六 liù

2 | 七 qī | 儿 ér | 九 jiǔ | 无 wú

3 | 口 kǒu | 日 rì | 中 zhōng

4 | 了 le | 子 zǐ | 门 mén | 月 yuè

5 | 不 bù | 开 kāi | 四 sì | 五 wǔ

6 | 目 mù | 耳 ěr | 头 tóu | 米 mǐ

7 | 见 jiàn | 白 bái | 田 tián | 电 diàn

8 | 也 yě | 长 cháng | 山 shān | 出 chū

9 | 飞 fēi | 马 mǎ | 鸟 niǎo

10 | 云 yún | 公 gōng | 车 chē

识字 (二)

1 | 牛 niú | 羊 yáng | 小 xiǎo | 少 shǎo

2 | 巾 jīn | 牙 yá | 尺 chǐ | 毛 máo

3 | 卜 bo | 又 yòu | 心 xīn | 风 fēng

	lì	shǒu	shuǐ
4	力	手	水

课文

	guǎng	shēng	zú	zǒu
11	广	升	足	走

	fāng	bàn	bā
12	方	半	巴

	yè	běn	píng	shū
13	业	本	平	书

	zì	jǐ	dōng	xī
14	自	己	东	西

	huí	piàn	pí
15	回	片	皮

	shēng	lǐ	guǒ
16	生	里	果

	jǐ	yòng	yú
17	几	用	鱼

	jīn	zhèng	yǔ	liǎng
18	今	正	雨	两

	guā	yī	lái
19	瓜	衣	来

	nián	zuǒ	yòu
20	年	左	右

共100个字

汉字笔画名称表

笔画	名称	例字
一	横	土 日
丨	竖	中 门
丿	撇	人 禾
㇏	捺	入 木
丶	点	下 头
㇕	横折	口 片
㇖	横钩	皮
㇗	竖折	山 牙
㇙	竖提	长 瓜
㇄	竖弯	四 西

笔画	名称	例字
亅	竖钩	小 水
㇁	弯钩	了
㇃	卧钩	心
㇜	撇折	云 东
㇇	横撇	又 鱼
㇆	横折钩	也 力
㇟	竖弯钩	儿 巴
㇈	横折弯钩	九 几
⺄	横斜钩	飞
㇉	竖折折钩	马 鸟